Maintenant qu'il sait voler, Léonard apprend à nager.
Et quand Raphaël passe lui dire bonjour,
Léonard lui montre fièrement :
« Regarde comme je vole ! »

Et il fait un magnifique vol plané pour atterrir...
PLOUF ! Dans l'eau !

«Je vole, je vole! C'est fantastique!»
hurle Léonard.

Léonard est heureux, son rêve s'est réalisé.

Mais il faut bien redescendre.
Les pingouins l'acclament:
«Vive Léonard, tu es un véritable oiseau maintenant!»

© 2013 Éditions Mijade
18, rue de l'Ouvrage
B-5000 Namur

© 2003 Burny Bos pour le texte
© 2003 Hans de Beer pour les illustrations

NordSud

Titre original : Leonardos grosser Traum
2003 - NordSüd Verlag (Zurich)

*Édition revue à partir de la traduction
de Géraldine Elschner publiée sous le titre
Léonard drôle d'oiseau*

ISBN 978-2-87142-813-8
D/2013/3712/28
Imprimé en Belgique

Le rêve de
de
Léonard

Burny Bos   **Hans de Beer**

Mijade

Léonard est différent des autres pingouins.
Son bec est jaune, et il passe son temps à rêver qu'il peut voler.
Mais les ailes des pingouins sont trop petites.

« Voler, quelle idée ! Un pingouin doit pouvoir nager »,
disent les autres pingouins.

Léonard a peur de l'eau… Jour après jour, il essaie de voler.
Il a beau sautiller et battre des ailes, il ne décolle toujours pas.

Les autres se moquent de lui:
«Regardez, il se prend pour un oiseau,
mais il ne sait même pas voler!»

Le cœur lourd, Léonard s'éloigne.

Le lendemain, Léonard aperçoit un magnifique oiseau dans le ciel.
Il plane majestueusement, Léonard est ébloui.
«Je suis Raphaël, l'albatros», dit l'oiseau en se posant près de lui.

«Quand je serai grand, je pourrai voler comme toi», affirme Léonard.
«Vraiment?» s'étonne Raphaël.

Mais Léonard ne veut pas attendre d'être grand.
C'est maintenant qu'il veut voler. Et il a une idée.

Il ramasse des bouts de bois rejetés par la mer
et les dispose un à un sur le sol...

«Ça y est, mes ailes sont prêtes !
À présent, je peux voler. »

Raphaël n'a pas l'air convaincu.
Mais Léonard se précipite au bord de la falaise,
il respire profondément, prend son élan et...

BOUM!
Il tombe dans la neige.
Raphaël se précipite pour l'aider.

En dégageant la neige, tous deux font une superbe découverte :
« Ça alors, on dirait un avion ! »

Les deux amis travaillent avec acharnement pour dégager la neige.
Et enfin, l'avion apparaît sous leurs yeux.

«Tu crois qu'il pourrait voler?» se réjouit Léonard.
L'albatros sourit. «Nous verrons ça demain, je tombe de sommeil.»
Alors, tous deux se couchent et s'endorment aussitôt.

Le lendemain, Léonard découvre une écharpe, un bonnet
et des lunettes d'aviateur. Il a l'air d'un vrai pilote !

Raphaël fait tourner l'hélice.
Le moteur toussote, pétarade…
« Hourra ! Il a démarré » s'écrie Léonard.
Curieux, les autres pingouins s'approchent.

« Tout le monde à bord, on y va ! » crie Léonard.

D'abord, l'avion broute un peu, il oscille de gauche à droite,
puis il décolle pour de bon.